Chwarae gyda Twts

Play with Twts

Chris Glynn

o ochr . . .

from side . . .

. . . i ochr

. . . to side

Ian . . .

up . . .

. . . a lawr

. . . and down

nôl . . .

backwards . . .

ac ymlaen . . .

. . . and forwards

rownd . . .

around . . .

a rownd . . .

. . . and around

tu ôl . . .

behind . . .

. . . a pipo!

. . . and peepo!